colección
El zoo de las letras

Juega con la

El disfraz de Zacarías

Dibujos
Tría 3:
Horacio Elena
Mabel Piérola
Francesc Rovira

Cuento
Beatriz Doumerc

El zorro Zacarías encuentra una cazadora azul
y un par de zapatos con lazos
en medio de unas zarzas.

Zacarías se pone la cazadora,
se calza los zapatos y dice:
—Quizá necesite un sombrero...
—Hazte uno con esta calabaza
—le dice la lechuza Zoraida.

El zorro Zacarías golpea la calabaza con fuerza
y la parte en dos pedazos. Se pone un pedazo
en la cabeza y se va al pueblo, muy feliz
con su cazadora azul, sus zapatos con lazos
y su sombrero de calabaza.

En el camino lo alcanza el abejorro Zumbón
y... ¡zum, zum, zum...!, le zumba
en el pescuezo y en la nariz.
Zacarías da manotazos al aire
para apartar a Zumbón.
Está tan aturdido por los zumbidos
que casi se cae en un pozo.

Por fin, Zumbón se aleja
y Zacarías llega al pueblo
justo cuando comienza el carnaval.
Todos están disfrazados.
Zacarías corre por la plaza,
pero... ¡zas!
¡Tropieza con un buzón
y casi pierde la calabaza y
el zapato izquierdo!

Zacarías se sienta en la terraza
de una pizzería.
Toma una pizza y un zumo
de zanahorias.
Y de postre, arroz
con leche, cerezas
y un trozo de regaliz.

Cuando empieza el baile en la plaza,
Zacarías danza sin parar.
Todos creen que es un niño
disfrazado de zorro...

¡Y le dan el premio al mejor disfraz!
¡Porque nadie se da cuenta
de que Zacarías
es un zorro de verdad!

17

◄ ¿Qué se pone el zorro Zacarías en la cabeza?

◄ ¿Qué come Zacarías en la pizzería?

◄ ¿Por qué crees que le dan a Zacarías el premio al mejor disfraz en el carnaval?

◄ ¿Te has disfrazado alguna vez para el carnaval? ¿De qué te disfrazaste? Cuéntalo.

Objetivos:

Comprender lo que se lee.
Narrar experiencias de la vida cotidiana.

◀ Ahora vas a resumir el cuento del zorro Zacarías con tus propias palabras.

Puedes empezar así:

El zorro Zacarías se encuentra
una cazadora y unos zapatos,
se pone un pedazo de calabaza
en la cabeza y se va al pueblo…

(Sigue tú.)

JUEGA

con la

Z

◂ Rodea con un círculo azul las palabras que tengan una **z** en su nombre:

tiza   zapato

pozo   maíz   abejorro

taza   lechuza

◂ Ahora repasa la **z** por las líneas de puntos:

Objetivos:

Ampliar vocabulario.
Reconocer la letra **z**.
Desarrollar la coordinación visomanual.

Une con una flecha el nombre de cada personaje con su foto:

Zoraida

Zacarías

Zumbón

JUEGA con la Z

El zorro Zacarías da manotazos al aire para apartar al abejorro Zumbón.

Un *manotazo* es un golpe fuerte que se da con la *mano.*

¿Cómo se llama un golpe fuerte que se da con la *cabeza*?

¿Y con el *codo*?

¿Y con el *pie*?

¿Y con la *pierna*?

Objetivos:

Adquirir conocimientos.
Ampliar vocabulario.
Descubrir el significado de las palabras.

Colorea las letras **z** minúscula y **Z** mayúscula y luego recórtalas.

Así podrás ir formando tu propio ZOO DE LAS LETRAS con los cuentos de esta colección.

Objetivos:

Reconocer las letras **z, Z**.
Ejercitar la coordinación visomanual.

colección

El zoo de las letras